힘들면 잠시 쉬어요

보헤미안리더 지음

CONTENT

아픈 사랑도 사랑이다

선택

여정

여정...그리고

슬플 땐 울어요

함께해요

용서해 주세요

회한 그리고 반성

용서의 위대함

당신이 있어 내가 있으니

위대한 당신

간이휴게소

슬픈 욕심

나도 아파요

아름다운 눈물

희망 유람선

새벽이 오네

생의 찬가

사랑하는 당신에게

행복한 꿈

태양의 노래

하늘의 노래

바다의 노래

마무리

너의 품으로

영원한 마음

너를 보내리

안녕 내 사랑

할 수 있어요

응원 할께요

작가의 말

글을 시작하며

힘들고 지친 당신에게 이 책을 바칩니다.

이 시집은 힘들고 지친 순간들에 당신을 위한 작은

휴식처가 되길 바라는 마음으로

형식과 절차에 구애받지 않는 자유로운 낙서장 같은
시집입니다.

여기에서 잠시 쉬어가세요,

그리고 다시 일어나,

더욱 강해진 모습으로 나아 가시길...

잠시 쉴까요

힘겨운 날의 무게를 벗어던지고
잠시만, 여기 앉아 쉬어가세요

폭풍이 지나간 후 고요한 바람처럼
삶은 다시금 당신을 부드럽게 감싸줄 거예요

어둠 속에서도 별빛은 반짝이고
힘든 시간 속에서도 희망은 자라나

당신이 걸어온 길, 모든 순간이
빛나는 이야기의 한 페이지가 되리니

때로는 눈물이 마음을 씻어내고
슬픔이 깊은 감사로 변할 때가 있어요

그러니 잠시 멈춰 서서
숨을 깊게 들이쉬고, 다시 시작하세요

당신의 삶에 봄날이 오듯
꽃들이 피어나듯, 햇살이 따스하듯

어려움을 이겨낸 당신에게
세상 모든 기쁨이 찾아오네요

봄의 노래

봄이 왔을 때
우리는 함께 피었던 꽃들을 기억하며
그리움을 품었습니다.

벚꽃은 우리의 사랑과 같았죠
아름다웠고 짧았지만
눈부시게 반짝였습니다.

그리고 봄이 지나가면
꽃잎처럼 떨어지는 이별이 찾아왔습니다.

봄비처럼 내리는 눈물이
우리의 마음을 적시고

봄날의 햇살처럼 따뜻한 기억들이
서서히 사라져갔습니다.

이별은 봄의 꽃잎처럼
차가웠지만 아름다웠습니다

가을의 노래

가을비가 창을 두드릴 때마다
내 마음 한켠에 슬픔이 쌓여간다.

잊혀진 기억들의 그림자가
긴 밤을 더욱 어둡게 만들고

낙엽처럼 지는 꿈들 사이로
흐르는 눈물은 말없이

내 마음속 깊은 곳에
그리움의 강을 이루네

그대 없는 공허한 거리를 걷다
나 홀로 남겨진 시간 속에서

가슴 깊이 새겨진 아픔을 안고
조용히 눈을 감는다.

그리움의 노래

비 내리는 창가에 홀로 앉아
세상 모든 슬픔을 마주할 때

가슴 속 깊은 곳에서 울리는
그리움의 노래가 흐르네

눈물은 말없이 흘러내려
잊혀진 사랑의 기억을 적시고

허공에 흩어진 나의 소망들
조용히 무너져 내리는 소리

가을 바람에 흩날리는 낙엽처럼
내 마음도 서서히 떨어져 가네

무거운 침묵 속에 갇힌 채
슬픔만이 가득한 이 밤

너의 빈자리

그대가 떠난 후로
세상 모든 길이 멀어졌네

가을 하늘처럼 투명한
그대의 웃음이 그립다

바람에 실려 오는
잊을 수 없는 향기 속에

그대의 목소리가 들려오고
내 마음은 더욱 그리워만 간다

흘러간 시간 속에
남겨진 나의 사랑은

가슴 깊은 곳에 숨겨둔 채
그대를 기다리는 꽃이 되었네

그대 없는 세상은
쓸쓸함으로 가득 차

그리움의 무게만큼
나의 발걸음도 무거워진다

그대의 빈자리를
아무것도 채울 수 없어

떠나간 님을 그리워하며
나 홀로 남은 이 밤

함께해요 그대여

힘든 길을 걸을 때마다
그대의 발걸음이 무겁다 해도

알아두세요, 그대 혼자가 아니라는 것을
그대 곁에는 항상 희망이 함께하니까요

어둠 속에서도 빛은 반짝이고
폭풍 속에서도 꽃은 피어나니

그대의 용기가 만들어 낼 내일을
믿어 의심치 않는 걸음으로 나아가세요

그대가 가진 꿈과 사랑과 열정이
세상 모든 어려움을 이겨낼 힘이 되고

그대의 미소가 다시금 세상을 밝히리니
용기를 잃지 마세요, 그대여

별들의 하모니

별빛이 내리는 밤, 그대와 나
서로의 눈 속에 영원을 그리며

말없이 속삭이는 사랑의 언어
우리만의 시간 속에 아름답게 피어나

달빛 아래, 그대의 손을 잡고
함께 걷는 이 길이 영원이라 믿으며

가슴 가득 피어오르는 사랑의 노래
세상 모든 것이 축복하는 듯해

그대와 나눈 첫 입맞춤의 순간
별들도 눈을 감고 숨죽여 지켜보고

그대의 웃음소리에 꽃들도 활짝 피어나
사랑이라는 기적을 온 세상에 전하네

그대와 함께라면 어떤 폭풍도
우리의 사랑을 흔들 수 없으리

그대와 나, 이 아름다운 사랑의 이야기
영원히 노래하리, 별들의 하모니처럼

평범...가족

아침 햇살에 눈을 뜨며
새로운 하루가 시작되네

평범한 일상 속 작은 기쁨에
마음이 따뜻해지는 순간

버스 창가에 기대어
지나가는 풍경을 바라보며

사람들의 웃음과 이야기에
삶의 아름다움을 느끼네

저녁 노을이 집으로 돌아오는 길을 밝히고
가족의 품에서 평안을 찾으며

평범한 사람들의 소박한 꿈들이
하루하루를 의미 있게 만들어 가

잠들기 전, 하늘을 바라보며
별빛 아래 소망을 빌어보네

평범한 사람들의 삶 속에서
작은 기적들이 조용히 피어나

평범...따뜻함

평범한 아침, 창문을 여니
새들의 지저귐이 반가운 인사를 건네고

햇살은 부드럽게 방 안을 비추며
하루를 시작하는 작은 기적을 알리네

커피 한 잔의 여유 속에
세상의 소란함을 잠시 잊고

책 속의 문장들처럼
삶의 의미를 곱씹어보는 시간

점심시간의 햇볕 아래
벤치에 앉아 바람과 대화를 나누며

사람들의 웃음소리에 마음이 녹아
일상의 소중함을 다시금 깨닫게 되네

저녁 노을이 하늘을 물들일 때
가족의 따뜻한 포옹이 기다리고

오늘 하루의 수고를 나누며
평범한 순간들이 주는 행복을 느껴

밤하늘의 별을 바라보며
내일을 향한 소망을 품어보고

잠자리에 들기 전 속삭이는 기도 속에
일상의 소중함이 영원히 머물길 바래

건강한 선물

아침에 눈을 뜨며
새로운 하루에 감사하네

건강한 몸으로 세상을 마주할 수 있음에
행복이 가득 차오르는 순간

맑은 공기를 가슴 깊이 들이마시며
살아있음의 기쁨을 느끼고

몸과 마음이 함께 웃을 때
삶의 진정한 아름다움을 깨닫네

저녁에 걷는 조용한 산책길에서
건강이 주는 평온함을 만끽하며

일상의 소소한 움직임 속에서도
큰 기쁨을 찾아내는 것

잠들기 전, 오늘 하루를 돌아보며
건강한 삶에 감사의 기도를 올리고

내일을 향한 희망을 품으며
건강의 소중함을 다시 한 번 느껴

잊지는 말아요...

가족이란, 따뜻한 햇살 같아요
어두운 날에도 빛을 비추며

폭풍이 몰아쳐도 함께 버티는
우리만의 작은 세상이죠

아침을 여는 부드러운 목소리
저녁을 장식하는 웃음꽃

서로의 슬픔과 기쁨을 나누며
삶의 의미를 키워가는 곳

가족은 때로는 조용한 항구와 같아요
세상의 파도가 높아도

평온한 물결로 돌아와
안식을 주는 그런 존재죠

그리고 가족은, 별빛 같은 것
밤하늘을 수놓는 작은 빛들이

어둠 속에서도 길을 잃지 않게
서로를 비추며 존재하는 것

가족의 소중함은 말로 다 할 수 없어요
그저 함께하는 순간순간이
모든 것을 말해주니까요

아름다운 추억

별빛 아래 속삭이는
연인의 다정한 이야기

그들의 눈빛은 말하네
사랑의 언어를 가장 순수한 형태로

손끝이 닿는 순간
세상의 모든 시간이 멈추고

그들만의 작은 우주가
조용히 펼쳐지는 듯

그들의 웃음 속에는
행복이라는 꽃이 피어나고

서로의 마음을 나누는 것만으로도
세상은 더욱 아름다워지네

연인은 서로를 바라보며
약속의 말을 건네고

그 약속은 영원히 지켜질 것처럼
단단하고도 소중하게 여겨져

그들의 사랑 이야기는
시간이 흘러도 변치 않는

아름다운 멜로디로 남아
두 사람만의 추억으로 기억될 거야

아픈 사랑도 사랑이다

사랑이란 이름으로 시작된
아름다운 꿈이었지만

결국 가슴 속에 남은 것은
아픔뿐인 이야기

그대와 나눴던 시간들이
지나가는 바람처럼 흩어지고

남겨진 것은 오직 그리움뿐
가슴 깊이 새겨진 상처로

그대의 미소 하나에
세상을 다 가진 듯 행복했건만

이별의 순간, 눈물로만
그 마음을 전해야 했네

사랑이 주는 슬픔이란
가시처럼 날카로워

그대 없는 세상에서
혼자 걷는 긴 여정

그래도 사랑했던 기억은
변치 않는 진실로 남아

아픈 사랑도 사랑이었음을
가슴 깊이 새기며 살아가리

선택

삶의 길목마다 놓인 선택들
그 중 몇몇은 후회로 남아

잘못된 길을 걸었던 날들에
마음 깊은 곳에서 한숨이 흘러나오네

찬란했던 꿈들이 멀어져 갈 때
가슴 속에 남은 것은 무거운 반성뿐

그러나 잘못된 길도 삶의 일부라는 걸
이제는 조용히 받아들이려 해

때로는 넘어지고, 때로는 헤매도
그 모든 순간들이 나를 만들어

이제는 후회 대신 배움을 택하며
더 나은 내일을 향해 한 걸음 나아가리

여정

인생이란 무엇인가, 묻는다면
한 줄기 바람, 한 조각 구름

잠시 머물다 사라지는 것
그러나 그 사이에 담긴 의미는 깊고도 넓네

우리는 모두 각자의 길을 걷고
때로는 넘어지고, 때로는 날아오르며

희망과 절망 사이를 오가는
한 편의 드라마를 연출하네

인생은 짧고 예측할 수 없어도
그 속에서 우리는 사랑을 배우고

아픔을 통해 강해지며
기쁨을 나누는 법을 깨닫지

그러니 인생이란 여정을
두려워하지 말고 즐기세요

모든 순간이 소중하니까
그대의 이야기를 아름답게 써 내려가세요

여정...그리고

힘든 길을 걸어갈 때
포기란 말은 잊어버리세요

발 아래 펼쳐진 길은
그대가 만들어 갈 이야기니까요

어둠 속에서도 별은 빛나고
폭풍이 몰아쳐도 꽃은 다시 피어나

그대의 꿈을 향한 발걸음에
세상은 또 다른 문을 열어줄 거예요

그대가 가진 빛은
아직 세상에 다 보여주지 못했으니

용기를 가지고 한 걸음 더 나아가세요
그대의 삶은 그 누구도 대신할 수 없는

소중한 여정이니까요

슬플 땐 울어요

고통의 바다에 휩싸여도
슬픔의 무게가 어깨를 짓눌러도

용기란 작은 빛을 잃지 않는 것
희미해도 앞을 향해 나아가는 것

그대여, 눈물을 흘리더라도
그것이 약함의 표시는 아니니

눈물은 마음을 씻고 다시 일어서게 하니
슬픔 속에서도 희망의 씨앗을 찾으세요

어둠이 깊을수록 별은 밝게 빛나고
폭풍이 거세도 새벽은 오기 마련

그대의 삶에도 끝내 해가 뜨리니
포기하지 말고, 다시 한 번 용기를 내세요

함께해요

힘든 길을 걸을 때마다
그대의 발걸음이 무겁다 해도

알아두세요, 그대 혼자가 아니라는 것을
그대 곁에는 항상 희망이 함께하니까요

어둠 속에서도 빛은 반짝이고
폭풍 속에서도 꽃은 피어나니

그대의 용기가 만들어낼 내일을
믿어 의심치 않는 걸음으로 나아가세요

그대가 가진 꿈과 사랑과 열정이
세상 모든 어려움을 이겨낼 힘이 되고

그대의 미소가 다시금 세상을 밝히리니
용기를 잃지 마세요, 그대여

용서해 주세요

잘못을 했음을 인정하는 것은
용기가 필요한 일이지만

진심으로 뉘우치며
용서를 구합니다

내가 저지른 실수로 인해
상처받은 마음에

손을 내밀어 용서를 청하며
진심을 전합니다

잘못된 길을 걸었던 나에게
다시 시작할 수 있는 기회를 주세요

그대의 너그러운 마음에
깊은 감사를 표하며

이제는 더 나은 사람이 되기 위해
앞으로 나아가려 합니다

그대의 용서가
내 삶에 큰 교훈이 되었음을 알려드립니다.

회한 그리고 반성

내 잘못이라는 것을 알아
그림자처럼 따라오는 죄책감에

가슴 한켠이 무겁게 짓눌려
숨 쉬기조차 힘겨운 밤

내가 저지른 실수들이
마음의 벽에 걸린 그림처럼

하나하나 떠오르며
잠 못 드는 밤을 더욱 길게 만들어

이제라도 늦지 않았길 바라며
진심으로 용서를 구해

내가 남긴 상처들이
조금이나마 아물 수 있기를

모든 것이 내 잘못이라고
가슴 깊이 새기며

앞으로는 같은 실수를 반복하지 않도록
더 나은 내일을 위해 다짐해

용서의 위대함

용서란 따뜻한 햇살 같아요
차가운 마음을 녹이며

상처받은 영혼에게
평화의 손길을 내미는 것

잘못을 저지른 이에게
너그러운 마음으로 다가가

그들의 실수를 이해하며
다시 시작할 수 있는 기회를 주는 것

용서는 사랑의 다른 이름이죠
마음의 문을 열고

오해와 분노를 넘어
서로를 향한 이해와 화합으로 나아가

그대여, 용서하는 마음으로
세상을 바라보세요

그대의 마음이 더욱 넓어지고
삶이 더욱 아름다워질 거예요

당신이 있어 내가 있으니

고통의 바다를 항해하며
폭풍의 물결을 넘는 용기

그대가 가진 힘은
어둠 속에서도 길을 비추는 등대

때로는 넘어져도 다시 일어나
상처는 치유의 흔적을 남기며

그대의 발걸음은 더욱 단단해져
슬픔의 강을 건너는 다리가 되리니

고통 속에서도 피어나는 꽃처럼
그대의 미소는 빛을 잃지 않고

어둠을 밝히는 하나의 불꽃으로
희망의 메시지를 전하네

그대여, 포기하지 마세요
고통의 끝에는 새로운 시작이 있으니

그대의 인내와 용기가
새벽을 여는 열쇠가 되리라

위대한 당신

험난한 길 위에서도
그대는 굳건히 서 있네

파도가 몰아치는 바다처럼
인생의 시련 속에서도

그대의 인내는 바위처럼 단단하고
용기는 태양처럼 빛나네

어둠 속에서도 길을 잃지 않으려
그대 스스로 빛이 되어

흔들리는 순간마다
그대의 심장은 대답하네

'포기하지 마라'고, '두려워하지 마라'고
그대의 꿈을 향해 나아가라고

그대여, 인내와 용기를 가슴에 품고
힘든 날들을 이겨내세요

그대가 걸어온 길 위에
희망의 꽃이 피어나리니

간이휴게소

잠시 멈춰 서서
숨을 깊게 들이쉬어 보세요

힘겨운 여정 속 잠시
평온의 순간을 찾아

부드러운 바람이
그대의 뺨을 어루만지며

마음의 짐을 조금 내려놓게 하고
잠시나마 위안을 주는 것

푸른 하늘을 바라보며
구름 한 조각 따라가는 상상을

그대의 마음이 가벼워지도록
평화로운 휴식을 선물하네

그대여, 이 휴식이
다시 일어설 힘을 주길

힘든 여정의 길목에서
잠시나마 쉼을 얻으시길

슬픈욕심

푸른 하늘 아래 작은 꽃처럼
겸손한 마음으로 살아가네

세상의 번잡함 속에서도
조용히 자신의 길을 걷는 것

욕심이란 바람 앞의 먼지와 같아
잠시 휘날리다 사라지는 것

그러나 평온한 마음은
깊은 산속의 맑은 물처럼 영원하네

가진 것에 감사하며
작은 것에서 기쁨을 찾고

세상에 무엇을 더 얻으려 하지 않고
주어진 삶에 충실한 것

그대여, 욕심 없는 마음으로
삶을 바라보세요

그대의 마음이 넉넉해지고
삶이 더욱 풍요로워질 거예요

나도 아파요

당신이 슬픔에 잠길 때
나의 마음도 함께 아파와요

그대 눈물 한 방울에
내 가슴도 빗물이 되어 흘러

그대의 고요한 슬픔이
조용히 내 영혼을 울리고

그대의 아픔을 나누고 싶어
내 마음을 그대 곁에 두죠

그대가 웃을 때 나도 웃지만
그대가 울 때 나는 더욱 울어요

그대의 슬픔이 나의 슬픔이 되어
서로의 아픔을 나누는 거죠

그대여, 혼자 울지 마세요
당신의 슬픔은 나의 슬픔이니

그대가 다시 웃을 때까지
나는 여기, 그대와 함께할게요

아름다운 눈물

눈물이란, 마음의 언어
말로 표현할 수 없는 깊은 감정의 증거

슬픔의 순간, 기쁨의 순간
모든 것을 적시며 흐르네

조용히 흘러내리는 눈물 속에
숨겨진 이야기들이 서려 있고

마음의 창을 열어
진실된 자신을 드러내는 것

때로는 약함의 표시라 여겨지지만
사실은 강인함의 다른 모습

아픔을 견디고, 마음을 치유하며
새로운 시작을 알리는 신호

그대여, 눈물을 부끄러워하지 마세요
그것은 당신이 살아있음을 증명하는 것

감정의 바다에서 가장 진솔한 물방울
그대의 눈물이, 그대를 더욱 아름답게 하니

희망 유람선

희망은 먼 수평선 너머 새벽을 꿈꾸는 것
어둠 속에서도 빛나는 별빛 같아요

힘든 오늘을 견디게 하는 따뜻한 위로
그리고 내일을 향한 조용한 약속

희망은 작은 불씨에서 시작되어
폭풍우 속에서도 꺼지지 않는 불꽃

그것은 우리의 마음속에 살아 숨 쉬며
절망 속에서도 길을 잃지 않게 해

그대여, 희망을 잃지 마세요
어둠이 깊을수록 새벽은 가까워

그대의 꿈과 열정이 만들어낼 내일을
믿어 의심치 않는 걸음으로 나아가세요

새벽이 오네

희망의 새벽을 여는 꿈,
어둠 속에서도 빛나는 별처럼

마음속 깊은 곳에 품은
소망의 꽃을 피우리

꿈은 높은 하늘을 날으며
희망의 메시지를 전해줘

슬픔이란 무거운 짐을 벗어던지고
행복의 길을 걸으리

때로는 멀고 험난한 길일지라도
꿈과 함께라면 두렵지 않아

희망이란 작은 불씨를 지펴
내일의 태양을 기다리리

꿈과 희망이 만나는 곳에서
기쁨의 춤을 추며 살아가리

어떤 어려움도 이겨내고
끝없는 사랑을 노래하리

생의 찬가

인생이란 여정 속에
아름다움이 숨 쉬네

희노애락 교차하는 길에서
진정한 삶의 의미를 찾으리

꽃피는 봄날의 향연처럼
삶의 순간들이 빛나고

가을 바람에 낙엽이 춤추듯
인생의 절정을 맞이하리

풍요로운 여름날의 태양처럼
따스한 사랑을 나누며

겨울밤 별빛 아래에서
평화로운 꿈을 꾸리

인생의 모든 순간은
그 자체로 하나의 예술

아픔 속에서도 희망을 발견하고
기쁨 속에서 감사를 느끼리

그렇게 우리는 걸어가네
인생이란 아름다운 길을

서로의 손을 잡고
함께 나아가며 삶을 축하하리

도전과 용기

용기란 두려움의 벽을 넘는 것
그 너머에 새로운 세계가 펼쳐지니

망설임을 떨치고 발을 내 딛으면
도전의 바다가 우리를 기다리리

폭풍이 몰아치고 파도가 치더라도
용감한 마음은 굴하지 않네

목표를 향해 나아가는 동안
매 순간이 영웅의 시간이 되리

실패를 두려워 말아라
그것은 성장의 발판일 뿐

넘어져도 다시 일어나면
성공의 문턱이 더 가까워지리

도전은 인생을 풍부하게 하고
용기는 꿈을 현실로 만드니

오늘의 작은 걸음이 내일의 큰 도약으로
도전의 용기로 삶을 채우리

당신에게 바치는 노래

슬픈 당신에게 바치는 위로의 노래
가슴 깊은 곳의 아픔을 어루만지며

눈물 속에 피어나는 진실의 꽃
그대의 슬픔을 이해하네

비 내리는 창가에 홀로 앉아
떨어지는 빗방울 소리에 마음을 맡기고

잊혀진 추억들이 떠오르는 밤
그대의 슬픔이 나의 슬픔이 되어

어둠이 내린 거리를 걷다 보면
외로움이 그림자처럼 따라오지만

슬픔도 때로는 아름다운 것
그것도 인생의 한 부분임을 알아

그대여, 슬픔이 지나가면
새로운 희망이 찾아올 거야

슬픈 당신의 마음에 조금의 위안이 되길
이 시가 당신에게 힘이 되길 바래

보헤미안

자유롭게 흐르는 강물처럼
보헤미안의 삶이 펼쳐지네

구속에서 벗어나 춤추는 영혼
세상의 속박을 거부하며 살아가리

밤하늘의 별들과 대화를 나누고
달빛 아래서 꿈을 꾸는 자

예술의 숨결을 따라
진정한 자유를 찾아 헤매네

사랑과 열정의 불꽃을 지피며
일상의 틀을 깨고 나아가리

보헤미안의 길은 언제나 열려 있어
마음이 이끄는 대로, 끝없이 여행하리

그들은 세상의 노래를 부르며
자신만의 색깔로 삶을 칠하네

보헤미안의 삶은 한 편의 시
아름다움과 자유로 가득 차 있으니

행복이란

행복이란 무엇일까, 묻는다면
그것은 바람에 실린 부드러운 노래

마음의 창을 열고 들어보면
소소한 일상 속에 숨어있네

아침 햇살 속에 반짝이는 이슬처럼
행복은 우리 곁에 조용히 다가와

웃음 짓는 아이의 천진난만함에서
삶의 기쁨을 발견하리

친구와 나누는 따뜻한 대화 속에
서로의 마음을 나누며 행복을 쌓고

사랑하는 이의 포근한 포옹에
세상의 모든 것을 잊으리

행복은 멀리 있지 않아
그것은 바로 여기, 우리 안에

매 순간을 소중히 여기며 살아가면
행복의 꽃이 피어나리

행복의 기준

작은 꽃잎 하나에도
행복이 숨어 있네

아침 이슬에 반짝이는
소박한 아름다움에 마음이 움직여

창밖을 스치는 부드러운 바람에
살며시 미소 짓고

커피 한 모금의 따스함에
일상의 여유를 느끼네

친구의 작은 문자 하나에
포근한 위로를 받고

가족의 평범한 대화 속에서
진정한 사랑을 깨닫네

작은 별빛 하나하나가
밤하늘을 수놓듯

우리 삶의 작은 순간들이
행복으로 가득 차

그렇게 작은 것들이 모여
큰 기쁨을 이루고

행복은 멀리 있지 않아
바로 우리 곁에, 작은 것들 속에

사랑과 우정

함께하는 삶이란
서로의 무게를 나누는 것

내가 너의 슬픔을 담을 때
너는 내 기쁨의 동반자가 되네

손에 손을 맞잡고
함께 걸어가는 길

한 사람의 발걸음이 아닌
우리 모두의 여정이 되어

작은 웃음 하나가
큰 기쁨으로 번져가고

한 사람의 선한 행동이
더 큰 선으로 이어지네

서로의 다름을 인정하며
더불어 살아가는 삶

그 속에서 우리는 배우고
진정한 사랑과 우정을 깨닫네

이렇게 우리는 서로에게
힘이 되고, 위로가 되어

더불어 살아가는 삶의 아름다움을
온전히 느끼며 살아가리

친구

친구여, 너는 나의 등대
어둠 속에서도 길을 밝혀주는 빛

험난한 세상 속에서도
너와 함께라면 두렵지 않은 밤

너는 나의 안식처
폭풍이 몰아쳐도 피할 수 있는 항구

웃음과 눈물을 함께 나누며
진정한 삶의 의미를 깨닫는 곳

너와의 대화는 나의 힘,
서로의 꿈과 희망을 나누는 시간

가장 깊은 비밀도 말할 수 있는
소중한 마음의 연결고리

너는 나의 보물
시간이 흘러도 변치 않는 가치

함께 웃고, 함께 울며
인생의 여정을 함께 걷는 동반자

친구여, 너는 나의 선물
삶이 주는 가장 아름다운 축복

너와 나, 우리는 서로의 삶에
영원히 빛나는 별이 되리

나아가라

내 안의 작은 목소리여
두려움 속에서도 힘을 내어라

너는 강하고, 담대하며,
어떤 도전에도 맞설 준비가 되어있다

폭풍이 몰아치고 어둠이 내려와도
네 안의 빛은 결코 꺼지지 않으리

너의 꿈을 향해 나아가라
그 길 위에 진정한 너를 발견하리

실패를 두려워하지 마라
그것은 성장을 위한 걸음일 뿐

네가 걸어온 길을 돌아보며
오늘을 향한 용기를 얻으리

너는 충분히 가치 있고
너의 존재만으로도 빛나니

자신감을 가지고 세상에 맞서라
너의 용기가 너를 이끌어 갈 것이다

그러니 깊은 숨을 들이쉬고
네 안의 용기를 깨워라

너의 여정은 이미 시작되었고
너의 용기가 너를 승리로 이끌리라

아름다운 선물

슬픔이 찾아와 마음이 무거울 때
웃음 한 조각으로 어둠을 밝혀라

눈물 속에 숨은 웃음의 힘을 믿으며
희망의 빛을 향해 걸어가리

어려움 속에서도 웃음을 잃지 않는 자
그의 마음은 꽃처럼 활짝 피어나리

슬픔을 이겨내는 용기와 함께
웃음은 삶의 아름다운 선물이 되리

비록 가슴 아픈 날이 계속되더라도
웃음은 슬픔을 이기는 강한 무기니

슬플 땐 웃어요, 그리고 기억해요
행복은 우리가 선택할 수 있는 것이니

울어라 그대여

눈물이여, 흘러라 흘러라
슬픔의 무게를 이제 내려놓으리

맘껏 울고 싶은 밤이면
별빛조차 내 마음을 어루만져주리

가슴 속 깊은 곳의 아픔이여
너는 나의 슬픈 노래가 되어라

울음이여, 너는 치유의 시작
슬픔을 씻어내는 빗물 되어라

슬플 때는 맘껏 울어도 좋아
그것이 때로는 가장 큰 위로니

눈물 속에서 피어나는 강인함
그것이 내일을 향한 첫걸음이니

그러니 울어라, 슬픔의 밤에
그대의 눈물이 별이 되어 빛나리

슬픔이 지나간 자리에는
새로운 희망의 씨앗이 싹트리니

마음의 소리

내 마음의 소리를 듣지 못하는 당신에게
조용히 속삭이듯 이 아픈 마음을 바칩니다

이해받지 못한 채로 남겨진 감정들
그대에게 전할 수 없는 이야기들이여

당신은 내 마음의 깊은 곳을 보지 못하고
나의 눈물조차 알아채지 못했네

그러나 나는 여전히 소망을 품으며
이해할 수 있는 날을 기다리리

내 마음의 문을 두드리는 이 소리에
언젠가 당신이 귀 기울여 주길 바라며

내가 느끼는 모든 것을 당신과 나누고 싶어
이 시를 당신에게 바칩니다

그대여, 내 마음의 문을 열어주오
이해와 사랑으로 가득 찬 세상에서

서로의 마음을 나누며 살아가길 바라오
그때가 오면, 우리는 진정으로 만날 수 있으리

고백

그대여, 마음의 문을 열어주오
별빛처럼 반짝이는 이 사랑을
조용히, 그러나 간절히 전하오니

내 마음 깊은 곳에서부터
솟아오르는 이 감정의 물결을
그대 앞에 솔직히 털어놓고자 하오

그대는 나의 하루하루에
햇살을 더해주는 존재
그대 없는 삶은 상상조차 할 수 없소

그대의 미소 하나에
내 세상이 밝아오고

그대의 목소리 하나에
내 마음이 요동치니

이제 나는 망설임을 떨치고
그대에게 내 마음을 고백하오

그대여, 나와 함께 이 아름다운 세상을
사랑으로 채워가지 않겠소

순간이동

세월은 물처럼 흘러가고
인생은 순식간에 지나가네

어제는 이미 추억 속으로
내일은 또 어떤 모습일지

빠르게 흘러가는 시간 속에서
우리는 꿈을 키우고 사랑을 나누며
순간의 소중함을 깨닫는다네

봄의 꽃이 피었다 지듯
인생의 계절은 빠르게 변하고

우리는 그 아름다움 속에서
삶의 의미를 찾아가네

흘러가는 시간을 잡을 순 없지만
그 속에서 우리는 배우고 성장하며
인생이라는 여정을 축하하네

그러니 빠르게 지나가는 인생을
한순간도 놓치지 말고 살아가자

오늘을 충실히 살면서
내일을 향한 꿈을 꾸며

전쟁과 평화

마음속 깊은 전쟁터에서
감정의 군대가 맞서 싸우네

승리를 위한 치열한 전투
내면의 평화를 찾기 위해

두려움과 용기가 충돌하고
희망과 절망이 교차하는 곳

마음의 전쟁터에서 나는 배우네
진정한 자신을 찾는 법을

승리의 기쁨도 잠시뿐
전투는 끝나지 않고 이어지니

그러나 나는 포기하지 않으리
마음의 평화를 위한 싸움에서

이 전쟁터를 지나고 나면
더 강해진 나를 발견하리

내면의 전투를 겪은 후에야
진정한 평화를 알 수 있으리

기다림

기다림 속에 숨겨진 아름다움이여
조용히, 그러나 확실히 마음을 움직이네

인내의 시간을 거쳐 오는 순간들은
더욱 빛나고 소중하게 다가오니

꽃이 피기를 기다리는 겨울의 끝에서
봄의 첫 꽃잎이 터져 나오듯

기다림 끝에 오는 기쁨은
온 세상을 환하게 밝히네

별빛이 도달하기를 기다리는 밤하늘처럼
먼 길을 돌아 우리에게 닿는 빛

그 빛은 오랜 기다림 끝에
더욱 강렬하게 우리 마음을 비추리

기다림은 때로 지루하고 힘겨울지라도
그 끝에 오는 만남과 성취는

모든 기다림을 가치 있게 만들지
그러니 기다림의 아름다움을 잊지 말자

행복한 나눔

나눔이란 마음의 선물
그 속에서 우리는 기쁨을 발견하네

주는 것만큼 받는 것도 많아
나눔은 삶을 풍요롭게 하는 비결이니

작은 나눔이 모여 큰 사랑이 되고
그 사랑이 세상을 따뜻하게 만들지

서로의 부담을 덜어주며
함께하는 삶의 가치를 높이네

나눔의 기쁨은 순간에 머무르지 않아
그것은 마음속에 영원히 남으니

나눔을 통해 우리는 배우고
진정한 행복이 무엇인지 깨닫네

그러니 나눔의 기쁨을 잊지 말자
그것은 삶을 아름답게 하는 힘이니

서로 나누며 살아가는 것
그것이 바로 인생의 아름다운 노래

나는 믿어요

당신은 이 세상에 단 하나뿐인 존재
빛나는 별처럼, 그 자체로 소중하니

자신의 가치를 의심하지 말아요
당신은 이미 완벽한 모습 그대로

자신의 꿈을 향해 나아가며
그 길에서 당신만의 색깔을 찾아요

당신의 웃음, 당신의 눈물,
모두가 당신을 이루는 소중한 부분이니

자신을 사랑하는 일은
삶을 아름답게 만드는 예술이에요

자신의 소중함을 깨닫는 순간
세상은 더욱 빛나는 무대가 되죠

그러니 자신을 믿어요
당신 안에 숨겨진 무한한 가능성을

당신은 언제나 소중하니까요
오직 한 사람, 바로 당신 자신으로

열정

당신은 무엇이든 할 수 있어요
그대의 마음이 이끄는 대로

두려움은 멀리하고 용기를 내어
그대의 꿈을 향해 나아가요

산이 높다 해도 길은 있으니
그대의 발걸음이 그 길을 만들어

하늘이 막힌다 해도 별은 빛나고
그대의 눈빛이 그 별을 밝혀요

마음속 깊은 곳의 열정을 불태우며
그대는 세상을 놀라게 할 거예요

무엇이든 할 수 있는 그대이니
자신감을 가지고 도전하세요

그대의 가능성은 무한하고
그대의 잠재력은 아직 발견되지 않았어요

그러니 두려워 말고 나아가세요
그대는 분명 놀라운 일을 이룰 거예요

사랑하는 당신에게

당신은 내 삶의 빛나는 별
어둠 속에서도 길을 밝혀주는 존재

당신의 사랑은 따스한 햇살 같아
마음의 추위를 녹여주는 온기

당신의 웃음은 봄날의 꽃처럼
세상 모든 것을 환하게 만드네

당신의 목소리는 멜로디 같아
나의 일상에 아름다운 노래를 더해

당신과 함께라면, 어떤 순간도
소중한 추억으로 변해버리니

당신은 나의 행복, 나의 꿈
내 삶의 가장 소중한 선물이야

사랑하는 이여, 당신에게 바치는 이 시가
우리의 사랑이 얼마나 깊은지 말해주길

당신과 함께하는 모든 순간이
나에겐 영원히 소중한 보물이니

행복한 꿈

행복이란 따스한 햇살 같아요
모두의 마음에 빛을 비추며

그 빛 속에서 우리는 웃고
서로의 기쁨을 나누며 살아가죠

세상 모든 이가 행복하길
그리고 아픔 없이 웃을 수 있길

그 소망을 담아 바람에 실어
하늘 높이, 멀리 보내봅니다

우리가 함께 만들어가는 세상에서
행복은 서로의 마음을 이어주는 다리

나눔과 사랑으로 가득 찬
그런 세상을 꿈꿔봅니다

그러니 이 작은 시가
모두에게 조금이나마 행복을 전할 수 있길

그리고 우리 모두가
함께 행복을 찾아가는 여정이 되길 바래요

태양의 노래

태양이여, 빛나는 생명의 노래여
너의 황금빛 선율이 세상을 밝히네

끝없이 타오르는 불꽃의 춤으로
우리에게 따스함과 희망을 주는구나

너는 하늘의 왕좌에 앉아
아침을 여는 첫 번째 빛으로

새로운 날의 시작을 알리며
모든 생명에게 힘을 불어넣어

중천에 떠오를 때 가장 찬란하고
저녁 노을에 물들 때 가장 아름다워

태양이여, 너는 시간의 흐름을 따라
영원한 순환의 노래를 부르네

너의 빛은 우리의 길잡이
어둠을 물리치고 길을 안내하는구나

태양이여, 너의 노래는
우리 삶의 영원한 동반자로 남으리

하늘의 노래

하늘아, 너는 무한한 노래를 부르니
푸른 바다 위에 떠 있는 하얀 배처럼

구름이 흘러가는 그 모습 속에
세상의 이야기를 담아내네

너는 때로는 평온하게
때로는 격정적으로 변화하며

그 모든 순간을 통해
우리에게 삶의 리듬을 가르쳐주지

별들이 밤하늘에 반짝이며
너의 노래는 더욱 신비로워지고

달이 떠오르면, 너는 조용히
우리의 꿈을 비추어 주니

하늘아, 너의 노래는 끝이 없어
우리의 마음속 깊은 곳에 울려 퍼지며

희망과 사랑, 그리고 평화의 멜로디로
영원히 우리와 함께 하리라

바다의 노래

바다여, 너의 노래는 깊고 신비로워
파도가 연주하는 자연의 선율

너의 푸른 가슴 위를 떠도는 배들
그리고 너의 속삭임에 귀 기울이는 모든 이들
에게
평화와 자유를 선사하네

너는 때때로 잔잔하게, 때로는 거세게
너의 감정을 표현하며

너의 노래는 우리의 마음을 울리고
너의 깊이는 우리의 영혼을 담그네

바다여, 너의 노래는 영원한 여행자의 꿈
너의 파도는 끝없는 모험의 초대장

너의 소금기 가득한 바람은
우리의 얼굴에 생명의 입맞춤을 하고
너의 넓은 품은 모든 생명을 품으니

너의 노래는 세상의 모든 이야기를 담아
시간과 공간을 넘어 울려 퍼지네

바다여, 너의 노래는 우리의 마음속에
영원히 살아 숨 쉬리라

갈무리

모든 이야기의 끝에는
아름다운 마무리가 기다리고 있네

여정의 종착점에서 우리는 돌아보며
지나온 길 위에 피어난 꽃들을 보네

마지막 페이지를 넘길 때
소중한 추억들이 마음속에 쌓여가고

우리의 이야기는 조용히
그러나 확실히 마음에 남아 있으니

아름다운 마무리는 시작을 약속하고
새로운 시작은 또 다른 여정을 예고하네

그래서 우리는 두려워하지 않아
매 순간이 새로운 시작이 될 테니

그러니 이 아름다운 마무리를 기억하며
우리는 다시 한 번 꿈을 꾸고

새로운 이야기를 시작하리.

너의 품으로

세상이여, 너의 넉넉한 품에 안겨
감사의 마음을 전하네

푸른 하늘, 따스한 햇살,
그리고 살랑이는 바람까지

모든 것이 축복이라 느껴지는 순간
매일을 새롭게 시작하는 태양에게

그리고 밤하늘을 수놓는 별들에게
감사의 노래를 부르네

이 모든 아름다움이 공존하는 세상에
살아 숨 쉬고 있다는 것만으로도

가슴 벅찬 감동을 받으니
사랑하는 이들과 나누는 웃음과 대화

그리고 함께하는 모든 순간들에
깊은 감사를 표하며

이 모든 것들이 내 삶을 풍요롭게 하네

그러니 이 작은 시가
세상의 모든 아름다움과

함께하는 모든 이에게 감사하는
당신의 마음을 대변하길 바라며

우리 모두가 늘 감사하는 마음으로
살아갈 수 있기를 소망하네

영원한 마음

당신이 주신 모든 순간에

내 마음 깊은 곳에서 우러나오는 감사함을
별빛처럼 반짝이는 이 밤하늘에 새겨봅니다.

당신의 따스한 말 한마디, 작은 미소 하나에도
내 삶은 더욱 풍성해지고

그 모든 것이 내게 큰 힘이 되어주었음을
이 작은 시로 전하고 싶습니다.

우리가 함께한 시간들

그리고 앞으로 함께할 날들에 대한 기대를 담
아
진심으로 감사드립니다.

당신과 나눈 웃음과 눈물
그리고 모든 추억들이
이 마음속에 영원히 남을 것입니다.

이 감사의 시가
당신에게도 조금이나마 기쁨을 줄 수 있기를
바라며
항상 고마운 마음을 잊지 않겠습니다

너를 보내리

이별이여, 너는 끝이 아니라 시작
새로운 여정의 첫 걸음이니

슬픔의 눈물을 흘릴지라도
그 뒤에는 새로운 희망이 기다리니

우리가 함께한 시간은 소중한 추억으로
마음속 깊은 곳에 영원히 간직될 거야

이별은 우리를 더 강하게 만들고
자신을 발견하게 하는 순간이니

비록 지금은 작별을 고하나
우리의 인연은 여기서 끝나지 않으리

각자의 길을 걸으며 성장하고
언젠가 더 밝은 미소로 다시 만나리

그러니 이별이여, 너를 슬퍼하지 않으리
너는 변화의 바람, 새로운 시작의 메시지니

이별 후에 오는 삶의 아름다움을 기대하며
감사의 마음으로 너를 보내리

안녕 내 사랑

사랑하는 이여, 안녕

눈물 속에 숨겨진 웃음과
그리움이 담긴 시선을 넘어
당신을 떠나보내야 할 시간

마음은 서러워도 사랑은 영원히 남아
우리의 추억 속에 살아 숨 쉬네

손을 흔들며 작별을 고하지만
마음 한편엔 아직 당신이 남아

조용히 속삭이는 이별의 아픔
그러나 당신의 행복을 빌며

눈물을 감추고 환한 미소로
사랑이란, 때론 놓아주는 것

당신의 새로운 시작을 위해
나의 이기적인 바람을 접고
당신을 위한 기도로 남겨둘게요

안녕, 내 사랑, 안녕
당신의 길 위에 늘 햇살이 가득하기를

할 수 있어요

나는 할 수 있다, 꿈을 향해 나아갈 수 있다

산맥을 넘고 강을 건너,
어둠 속에서도 빛을 발하는
나의 불굴의 의지여.

흔들리는 순간마다 속삭이리
'나는 할 수 있다'고

내 안의 두려움을 물리치고
새로운 길을 개척하리

실패는 나를 더욱 강하게 만들고
시련은 나를 더욱 단단히 하니
나는 할 수 있다, 반드시 할 수 있다.

내일의 태양이 더욱 밝게 빛나리니
나는 할 수 있다, 오늘보다 더 나은 나로

응원 할께요

다시 시작하는 당신에게

희망의 씨앗을 뿌리며
새벽의 이슬처럼 맑고 투명한 용기를 담아드립
니다.

길이 험난할지라도, 한 걸음 한 걸음 내딛는 발
걸음마다
힘찬 박동이 되어 당신을 이끌어 줄 것입니다.

실패는 끝이 아닌 시작이니
절망의 무게를 벗어던지고 다시 일어나세요

포기하지 않는 한,
새로운 기회는 언제나 열려 있으니

당신의 꿈을 향해 다시 한번 날개를 펼치세요.
당신의 새로운 시작을 응원합니다.

글을 마치며

글쓴이는 보잘것 없는 삶을 살아왔고 지금은
보헤미안의 삶을 추구하며,

하루하루를 소중하고 가치 있게 살고자
노력하고 있는 가장 평범한 사람입니다.

과거에는 용기가 없어, 하고 싶어도 하지 못한
말들과, 돌이켜보면 후회되는

나의 인생에 대해 부족하지만 글로 표현해
보았습니다.

인생의 "희노애락"은 공존 할때 그 의미가
있는 것 같더군요

'영원한 것은 없다'라는 문장이 인생에서 가장
절실하게 공감하게 되는

시기를 겪고 나니 원점에 서 있는 나를 보면서
결코 행복하지 않은

자신을 발견하게 되었을 때 너무나 많은
시간이 흘러

아쉬움과 후회만 남은것 같습니다.

여러분들은 현실이 고통스럽고, 힘들고,

내가 세상에서 가장 불행하다고 느껴지더라도

결코 포기하지 마시고 지나고 나면 얻는 것
또한 많이 있을것 입니다.

힘들고 지친 많은 사람들에게 한 페이지라도
도움이 되고픈 마음에

용기를 내어 쓴 것이오니 이 글을 읽고
조금이나마

위안과 용기를 가지시길 바랍니다.

- 보헤미안리더 드림 -

힘들면 잠시 쉬어요

힘들면 잠시 쉬어요

발 행 | 2024년 03월 11일

저 자 | 보헤미안리더

펴낸이 | 한건희

펴낸곳 | 주식회사 부크크

출판사등록 | 2014.07.15(제2014-16호)

주 소 | 서울특별시 금천구 가산디지털1로 119 SK트윈타워 A동 305호

전 화 | 1670-8316

이메일 | info@bookk.co.kr

ISBN | 979-11-410-7569-9